ドクターエッグ

① ハチ・クワガタムシ・カブトムシ

かがくるBOOK

目次

第1章 オオスズメバチの襲撃

- 第1話 出動！ 楽しい昆虫採集・・・・・・・・・・・・8
- 第2話 オオスズメバチ34号の反撃・・・・・・・・・・・18
  迷路ゲーム　オオスズメバチ34号のおうち探し
- 第3話 スズメバチのわなをしかける！・・・・・・・・・30
- 第4話 スズメバチにもいろんな種類が!?・・・・・・・・40
  生き生き図鑑　ヒメスズメバチのなぞり絵
- 第5話 電撃比較！ スズメバチ 対 ミツバチ・・・・・・・52
- 第6話 ミッション：ミツバチを守れ！・・・・・・・・・62
  隠し絵探し　3匹のスズメバチを探せ！

※イラスト化にあたり、いきものをデフォルメして描いています。

第2章　クワガタムシとカブトムシ

- 第7話　クヌギの森の謎・・・・・・・・・・・・・・・78
- 第8話　クワガタムシ大脱出事件・・・・・・・・・・・88
  - まちがい探し　瞬間をカシャッ！　チーム・エッグの事務所
- 第9話　クワガタムシとカブトムシの飼い方・・・・・・100
- 第10話　カブトムシの交尾・・・・・・・・・・・・・110
  - 生き生き観察レポート　クワガタムシとカブトムシ
- 第11話　カブトムシの本当のママは？・・・・・・・・122
- 第12話　チーム・エッグに遊びにおいでよ！・・・・・132
  - あみだくじ　誰の幼いころの姿でしょうか？

チーム・エッグの制作日記①②・・・・・・・146
正解・・・・・・・・・150

登場人物

昆虫の魅力を みんなに 伝えたい！

エッグ博士

瞬発力★★★★★

- **誕生日** 6月15日（ふたご座）
- **血液型** A型
- **性格** 明るくユニークで、子どもたちに人気。
- **好きな昆虫** クワガタムシ、カブトムシ

「あらゆるいきものを
カメラでよりリアルに
撮るんだ！」

ヤン博士　採集力★★★★★

- 誕生日　1月1日（やぎ座）
- 血液型　AB型
- 性格　勇敢でたくましい行動派。
  温かい心の持ち主。
- 好きな昆虫　ヘラクレスオオカブト

「新しいいきものを発見して
ノーベル生理学・医学賞を
受賞するんだ。」

ウン博士　分析力★★★★★

- 誕生日　2月17日（みずがめ座）
- 血液型　A型
- 性格　自然のいきものについての知識
  が豊富な知性派。
- 好きな昆虫　テントウムシ、チョウ

第1章

オオスズメバチの襲撃

昆虫世界最強の捕食者とも言われる、オオスズメバチ。
オオスズメバチ、ヒメスズメバチ、ミツバチなど
ハチたちの生態をエッグ博士と一緒に見ていこう！

第1話
出動！ 楽しい昆虫採集

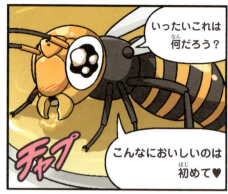

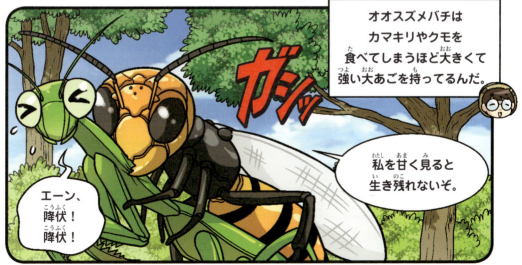

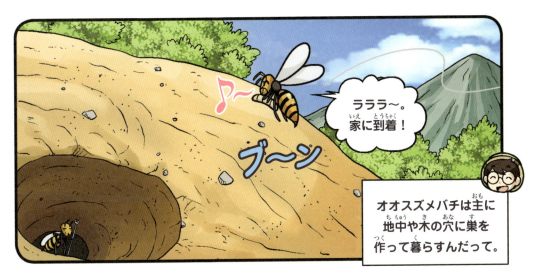

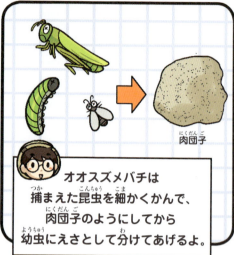

オオスズメバチの完全変態のようす

完全変態とは、昆虫が、卵→幼虫→さなぎの3段階を経て成虫になる育ち方です。

はねのあるハチは成虫だよ。

1. 卵

女王バチが1つの部屋（育房）に卵を1つずつ産みつけます。

2. 幼虫

卵から孵化した幼虫は、昆虫の肉団子を食べて育ちます。

3. さなぎ

働きバチのさなぎ　女王バチのさなぎ
幼虫は脱皮を繰り返してさなぎになります。

4. 成虫

羽化すると立派な成虫になり、育房から出てきます。

成虫になる直前のさなぎ

オオスズメバチの繭
繭の中にはさなぎが入っています。

ふー、エッグ博士はなんとかオオスズメバチをまきました。エッグ博士が逃したオオスズメバチが家に帰ろうとしています。どの道を進めば家に帰れるでしょうか？

エーン、どこから行けばいいんだ？

③ ④

シャアア
スズメ

いいにおい
スズメバチのわな

パチッ！
スズメ

やった〜！
お帰り〜
ゴール！

正解：150ページ

第3話
スズメバチのわなをしかける！

他の昆虫の獲得にも失敗しました。

*どぶろく：米などから作るにごったお酒。

＊スズメバチ・トラップはペットボトルなどを使って作ることもできるよ。

スズメバチにもいろんな種類が!?

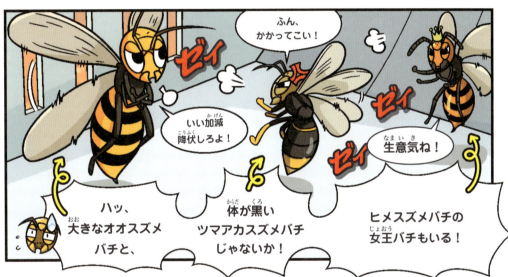

＊結婚飛行：ハチやアリの女王やオスが一斉に飛んで交尾すること。

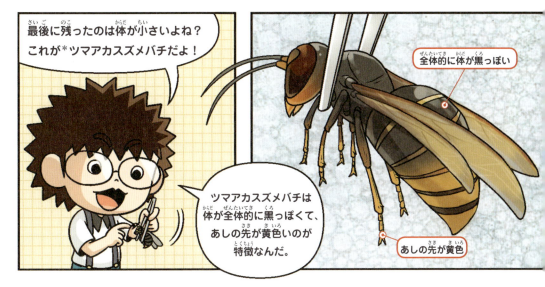

＊ツマアカスズメバチは、日本では九州で見つかっている外来生物です。国内に広がるのが恐れられています。

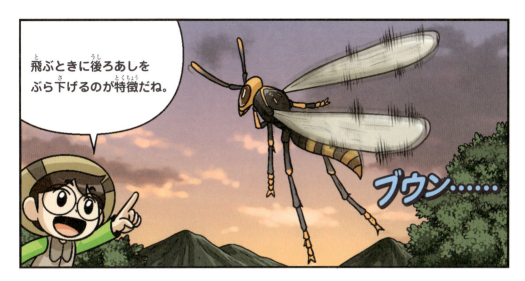

ヒメスズメバチのなぞり絵

エッグ博士が取り出したヒメスズメバチだよ。ヒメスズメバチの形を線でなぞった後、下のスペースに同じように描いてみてね。

私はヒメスズメバチよ！オオスズメバチとまちがえられたら悲しいわ〜。一番の特徴は腹部の色とあごだからよく見てね！

 ヤン博士の生き生きアルバム

横から見た様子

頭を前から撮った様子

上から見た様子

いろんな角度からヒメスズメバチの形を見てね！

©ディエッグ, ソン・ミンギュ

ヒメスズメバチ

第5話
電撃比較！ スズメバチ 対 ミツバチ

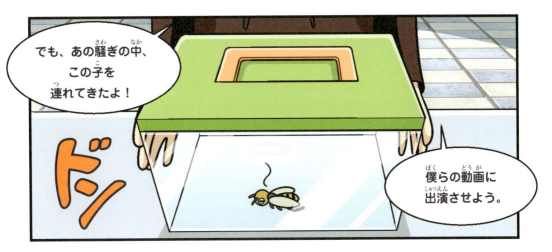

＊UVレジンはアクリル樹脂の一種で、紫外線（UV）を当てると固まるので「紫外線硬化性樹脂」と呼ばれます。アクセサリーや模型作りなどでも使われます。時間はかかりますが、日光を当てても固まります。

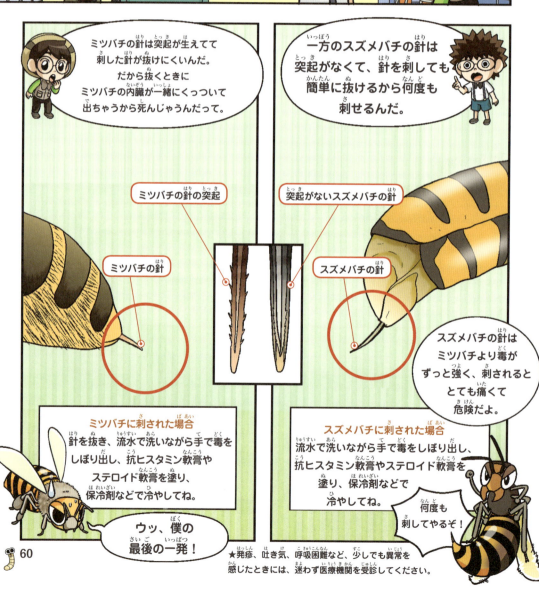

ミッション：ミツバチを守れ！

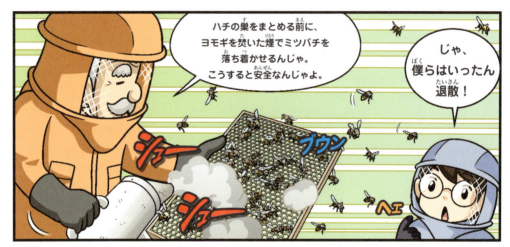

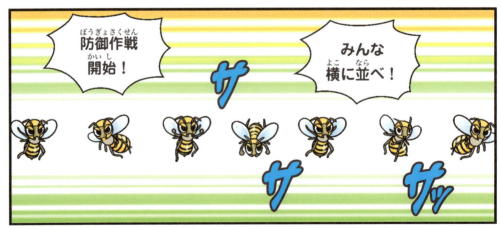

3匹のスズメバチを探せ！

養蜂場アベンジャーズと一緒に3匹のスズメバチを探してみてね！
あっ、ミツバチとスズメバチを間違えないようにね！

正解：150ページ

第2章

クワガタムシとカブトムシ

カッコいい大あごを持つクワガタムシ、角が魅力のカブトムシ。
似ているようで違う昆虫の魅力を探っていこう！

クヌギの森の謎

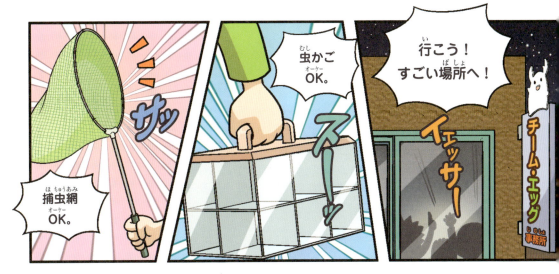

*昆虫ゼリーは人間が食べることを想定して作られていないので、マネしないでね。

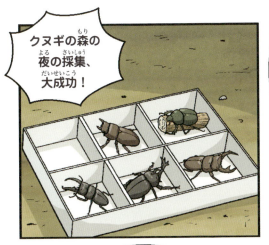

クワガタムシ
大脱出事件

何してるの?

まだ寝てなかったの?

うん、今日捕まえた昆虫たちを分類してから寝ようと思って。

エッグ博士の情熱はすごいね。疲れてるから遅くなりすぎないようにね……。

了解!

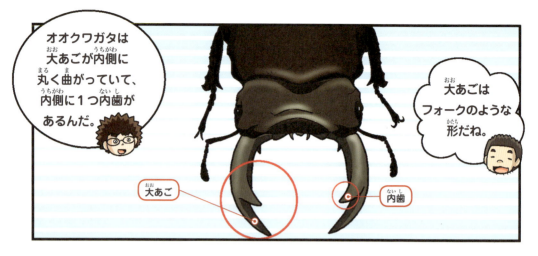

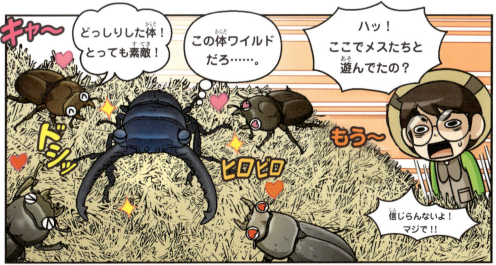

瞬間をカシャッ！
チーム・エッグの事務所

消えたクワガタムシを探している3人の博士たち。
2つの絵を比べてみて、違うものを10個探してみてね。

正解：151ページ

クワガタムシとカブトムシの飼い方

＊カブトムシやクワガタムシが好む朽ち木を細かく砕いたもの。

第10話
カブトムシの交尾

生き生き観察レポート

クワガタムシとカブトムシ

エッグ博士と一緒にクワガタムシとカブトムシを紹介する観察レポートを自由に書いてみよう。

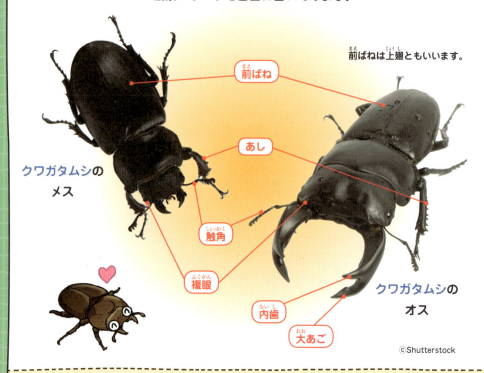

ⒸShutterstock

クワガタムシ観察レポート

観察した種の名前：
_____

わかったこと：
_____
_____

気になったこと：
_____
_____

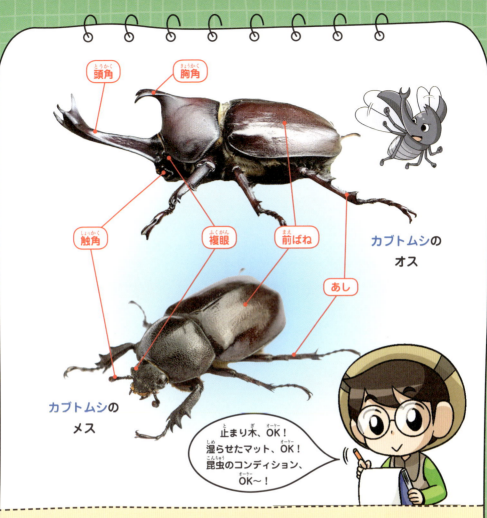

カブトムシ観察レポート

観察した種の名前：

わかったこと：

気になったこと：

第11話

カブトムシの本当のママは？

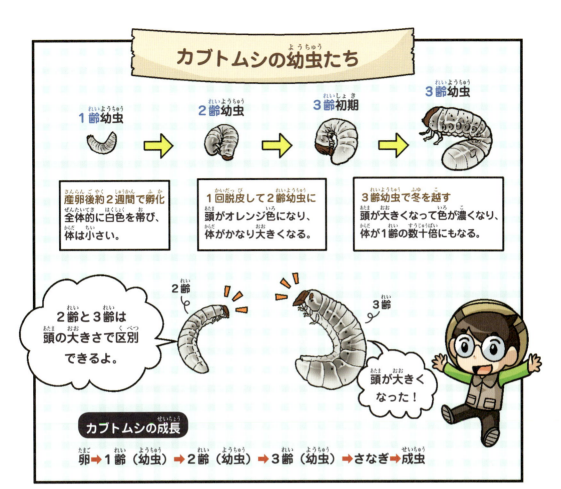

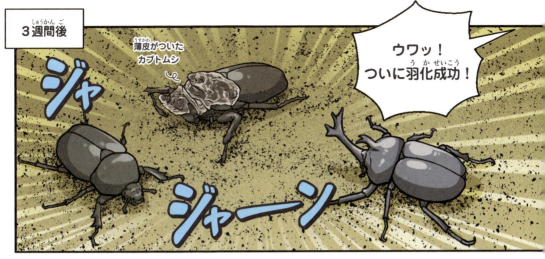

第12話
チーム・エッグに遊びにおいでよ！

水圧転写はどうかな？

水圧転写とは？

水圧転写は水の上に絵の具やスプレーを撒いて、その上に物体を沈めて色をつける技術です。

すごく派手そう！

❶水にいろんな色の水圧転写スプレーを撒きます。

❷カブトムシを水に入れすくい上げます。

❸世界で1つだけのカブトムシに生まれ変わります！

©ディック

でも本来の姿じゃなくなって少し残念。
今でも十分かわいいのに～。

そうか、それなら！
標本が一番いいんじゃない？

標本作りに必要なもの

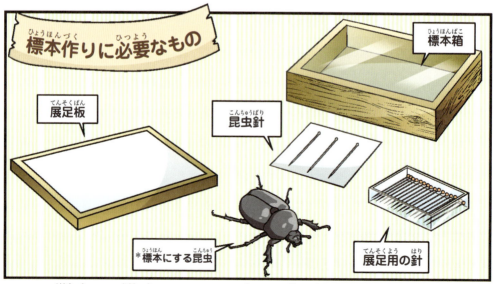

標本箱／展足板／昆虫針／＊標本にする昆虫／展足用の針

＊昆虫が死んでから時間が経っているときは、ぬるま湯に5～30分ほど浸けると昆虫がやわらかくなって形を整えやすくなるよ。

カブトムシの標本作り

エッグ博士と一緒にカブトムシの標本作りについて学んでいこう。

❶昆虫針を体に刺し、展足板に固定してください。ふつうは右胸に刺します。

❷展足用の針で6本のあしを固定してください。

❸両あしと触角の角度、方向をきれいにそろえてください。

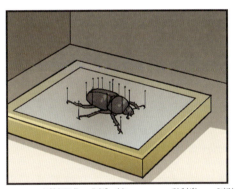

❹2～4週間程度、日陰で乾かしてから展足板ごと標本箱に入れてください。

とがった針で手をケガしないよう、注意してね。

展足用の針を昆虫の体に刺したらダメだよ。支えて固定するためのものなんだ。

標本にすれば寿命が尽きた昆虫を、きれいで素敵な形のままで保存することができるよ。

大人と一緒に！

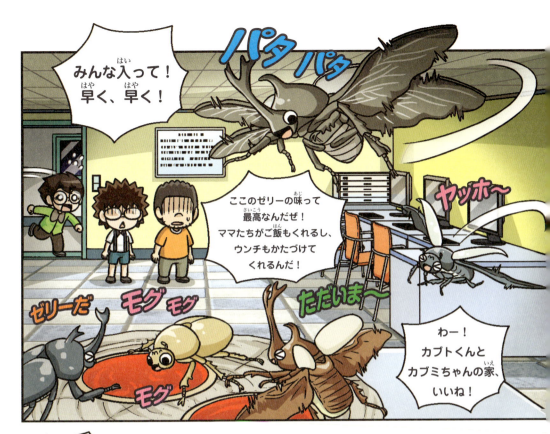

チーム・エッグの制作日記①

チーム・エッグの制作日記②

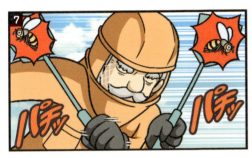

クイズの答えを確認する番だよ。正解をチェックしてみてね。

28〜29ページ

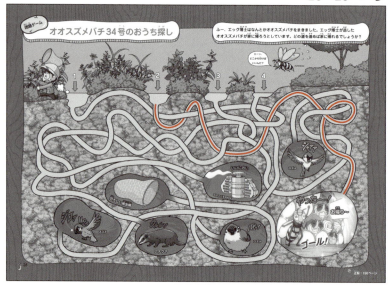

74〜75ページ

98〜99ページ

144〜145ページ

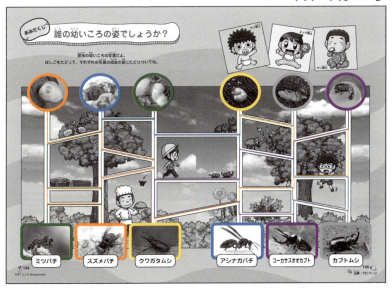

＊道順はこの通りでなくてもOKだよ。

에그 박사 1

Text Copyright © 2020 by Mirae N Co., Ltd. (I-seum)

Illustrations Copyright © 2020 by Hong Jong-Hyun

Contents Copyright ⓒ 2020 by The Egg

Japanese translation Copyright © 2022 Asahi Shimbun Publications Inc.

All rights reserved.

Original Korean edition was published by Mirae N Co., Ltd.(I-seum)

Japanese translation rights was arranged with Mirae N Co., Ltd.(I-seum) through VELDUP CO.,LTD.

ドクターエッグ1　ハチ・クワガタムシ・カブトムシ

2022年3月30日　第1刷発行

著　者　文　パク・ソンイ／絵　洪鐘賢(ホンジョンヒョン)
発行者　橋田真琴
発行所　朝日新聞出版
　　　　〒104-8011
　　　　東京都中央区築地5-3-2
　　　　編集　生活・文化編集部
　　　　電話　03-5541-8833（編集）
　　　　　　　03-5540-7793（販売）

印刷所　株式会社リーブルテック
ISBN978-4-02-332201-1
定価はカバーに表示してあります

落丁・乱丁の場合は弊社業務部（03-5540-7800）へ
ご連絡ください。送料弊社負担にてお取り替えいたします。

Translation：Han Heungcheol / Kim Haekyong
Japanese Edition Producer：Satoshi Ikeda
Special Thanks：Kim Suzy / Lee Ah-Ram
　　　　　　　　　（Mirae N Co.,Ltd.）